IL ÉTAIT UNE FOIS UNE PRINCESSE TRÈS GENTILLE...
COMME MOI ?
ELLE A DIT "GENTILLE" !

La petite
princesse de Noël

© 2006, l'école des loisirs, Paris
Loi numéro 49 956 du 16 juillet 1949 sur les publications
destinées à la jeunesse : septembre 2006
Dépôt légal : novembre 2006
Imprimé en France par Pollina, 85400 Luçon - n° L41893

Nadja

La petite princesse de Noël

l'école des loisirs
11, rue de Sèvres, Paris 6ᵉ

Cette petite princesse aimait faire tout le temps des cadeaux...

Elle recueillait tous les animaux perdus …

Elle avait toujours peur de ne pas pouvoir faire plaisir à tout le monde.

Voir des amies pouvait lui poser des problèmes…

Elle passait beaucoup de temps à essayer
de les résoudre.

Ses parents étaient très inquiets...

… ils décidèrent qu'il fallait la marier.

Mais elle n'arrivait pas à se décider.

Ils essayèrent de la persuader par la ruse…
Bref, elle était dans un dilemme ef-froy-able.

Alors elle partit très loin pour réfléchir.

Jusqu'à l'autre bout du monde…

... où il n'y avait plus personne.

Sauf un étrange personnage qui s'appelait…

… Père Noël.

Il l'invita chez lui…

… et ils s’entendirent à merveille.

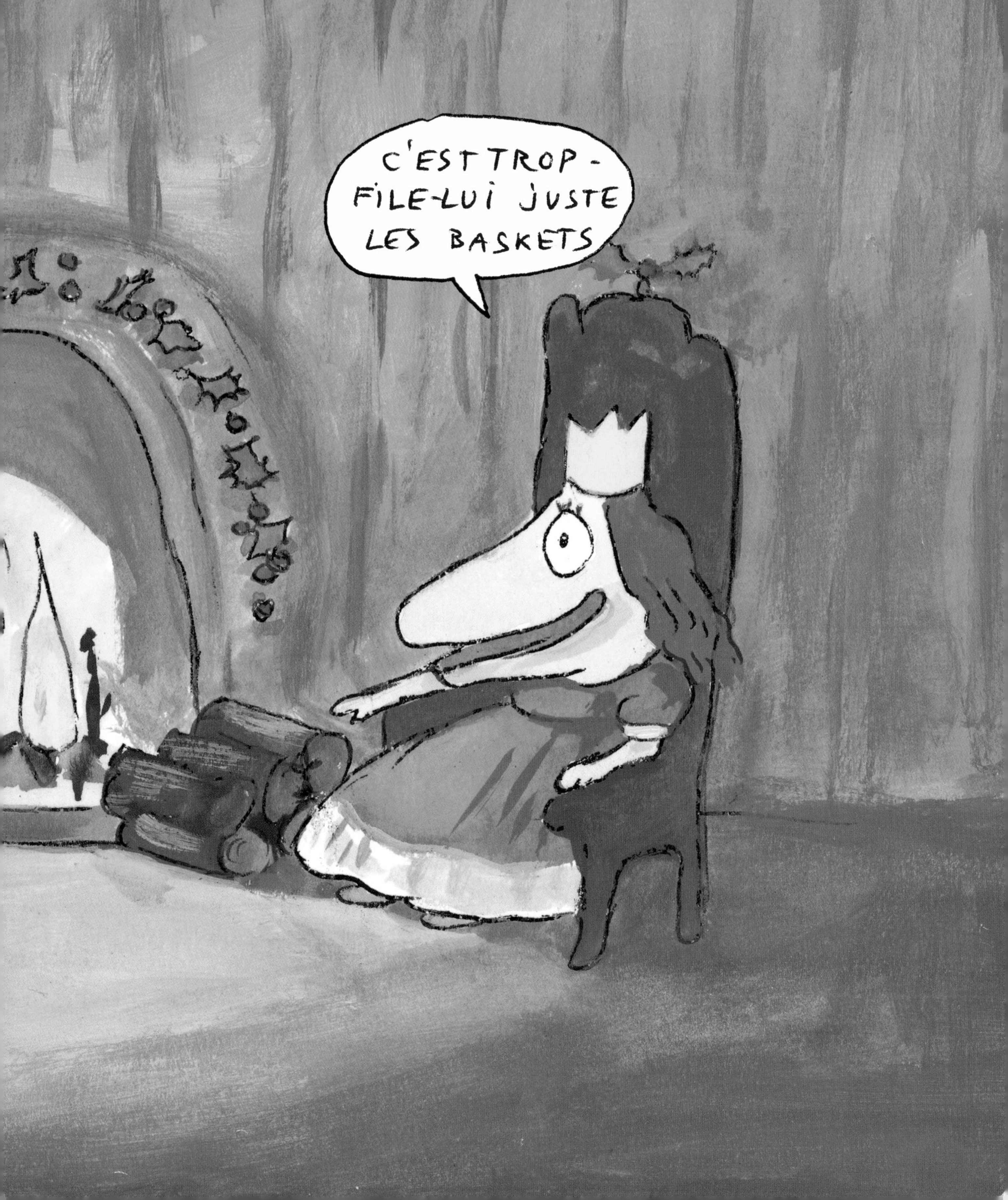

Donc, ils se marièrent et eurent beaucoup de lutins.